Pedro

Por U

https://campsi

Índice

Descargo de responsabilidad

Este libro biográfico es una obra de no ficción basada en la vida pública de una persona famosa. El autor ha utilizado información de dominio público para crear esta obra. Aunque el autor ha investigado a fondo el tema y ha intentado describirlo con precisión, no pretende ser un estudio exhaustivo del mismo. Las opiniones expresadas en este libro son exclusivamente las del autor y no reflejan necesariamente las de ninguna organización relacionada con el tema. Este libro no debe tomarse como un aval, asesoramiento jurídico o cualquier otra forma de consejo profesional. Este libro se ha escrito únicamente con fines de entretenimiento.

Introducción

Adéntrese en el extraordinario mundo de Pedro el Grande, el legendario zar y emperador que cambió el curso de la historia rusa y transformó la nación en una gran potencia europea. El libro de Pedro el Grande es una cautivadora exploración de la vida, el reinado y el legado perdurable de uno de los líderes más emblemáticos de Rusia.

Nacido en 1672, Pedro I, comúnmente conocido como Pedro el Grande, ascendió al trono de Rusia en 1682. Aunque al principio compartió el poder con su hermanastro Iván V, con el tiempo Pedro se convertiría en un monarca absoluto, con una autoridad sin parangón sobre su vasto reino. Su reinado estuvo marcado por la ambición, la visión de futuro y la firme determinación de modernizar Rusia.

El reinado de Pedro estuvo dominado por prolongadas guerras contra adversarios formidables como los imperios otomano y sueco. A pesar de los desafíos iniciales, sus campañas militares acabaron triunfando, ampliando el alcance de Rusia hasta el mar de Azov y el mar Báltico. Su victoria en la Gran Guerra del Norte transformó a Rusia en un imperio y alteró el equilibrio de poder en Europa.

Más allá del campo de batalla, Pedro lanzó una revolución cultural que abrazó la modernidad, la ciencia y la occidentalización. Introdujo el calendario gregoriano, fundó la ciudad de San Petersburgo como "ventana a Occidente" y trasladó la capital de Moscú a esta floreciente metrópolis. Pedro también defendió la educación superior y la industrialización, dejando un impacto duradero en el Imperio Ruso.

Este libro profundiza en los polifacéticos intereses de Pedro, desde su fascinación por las plantas, los animales y los minerales hasta sus esfuerzos por acabar con las supersticiones y el miedo a lo desconocido. Explora su papel en la fundación de la Academia Rusa de las Ciencias y la Universidad Estatal de San Petersburgo.

Este libro es un apasionante recorrido por la vida y los logros de un líder visionario que forjó el destino de Rusia y dejó una huella perdurable en su historia y sus instituciones. Descubra al hombre detrás de la leyenda y su profundo impacto en el pasado y el presente de Rusia.

Pedro el Grande

Pedro Alekseevič Romanov, conocido como Pedro el Grande (Moscú, 9 de junio de 1672 - San Petersburgo, 8 de febrero de 1725), fue zar y, desde 1721, primer emperador de Rusia. Su reinado comenzó en 1682, en corregencia con Iván V, que estaba mental y físicamente enfermo y, por tanto, incapacitado para reinar. A la muerte de este último en 1696, Pedro fue gobernante absoluto hasta 1724, año a partir del cual su esposa Catalina I se unió a él en esta tarea.

Considerado un héroe nacional ruso, aparece en billetes y sellos de 500 rublos; se le dedican monumentos y obras literarias. Medía unos dos metros, aunque sus pies y su cabeza eran desproporcionados en comparación con su considerable estatura; probablemente debido a su altura, sufría ataques de enfermedades leves, una forma particular de epilepsia.

Durante su reinado, fue considerado por sus contemporáneos como el típico representante del gobernante ilustrado, junto con los posteriores José II de Habsburgo, Federico el Grande y María Teresa de Austria, y como emperador actuó bajo los principios del jurisdiccionalismo. Sin embargo, como autócrata fue muy estricto en la dura represión de las revueltas, incluida la conspiración en la que participó su hijo Alexis. Fue el fundador de la ciudad de San Petersburgo.

Biografía

Juventud y ascenso al trono

Pedro nació en Moscú a la 1 de la madrugada del 30 de mayo de 1672, hijo del zar Alexis y de su segunda esposa, Natal'ja Kirillovna Naryškina. Se le puso el nombre de Pedro en honor del apóstol y, siguiendo la antigua costumbre de tomar las medidas a los niños, se pintó una imagen de San Pedro Apóstol en una tablilla del mismo tamaño que el pequeño: 50 cm de largo y 16 cm de ancho.

El nacimiento del nuevo zarevich fue anunciado por el tañido de la campana de la torre de Iván el Grande y los cañones del Kremlin dispararon salvas durante tres días mientras las campanas de las mil seiscientas iglesias de Moscú repicaban festivamente. Pedro fue bautizado por el confesor personal del zar Alexis el 29 de junio, festividad de los santos Pedro y Pablo.

El 8 de febrero de 1676 murió el zar Alexis y Fiódor, el hijo mayor semiinválido de Alexis y su primera esposa Mariya Miloslavskaya, ascendió al trono ruso. De hecho, en 1674, el zar Alexis había nombrado heredero del trono a su hijo Fiódor como mera formalidad, pensando que su hijo le sucedería.

Durante el reinado del zar Fiódor, la vida de Pedro transcurrió tranquilamente alternando el juego y el estudio en los palacios del Kremlin o en el Kolomenskoe. La educación de Pedro fue confiada a varios tutores, entre ellos Nikita Zotov.

El zar Fiódor no tenía herederos: su hermano Iván, primero en la línea de sucesión, estaba inválido y mentalmente enfermo, por lo que propuso a la asamblea de boyardos que la multitud eligiera cuál de los dos zarevics, Iván o Pedro, debía ser el nuevo zar. El 27 de abril de 1682, cuando murió el zar Fiodor, la multitud reunida bajo el balcón eligió casi unánimemente a Pedro como futuro zar, bajo la regencia de su madre.

La revuelta de los Strelizzi

La zarevna Sofía, primogénita de Alexis I, disgustada con la elección, con la ayuda de Iván Miloslavski, el príncipe Iván Chovanski y el príncipe Vasili Golicyn incitó a los Strelizzi a la revuelta. El 15 de mayo de 1682, los caballeros Aleksandr Miloslavsky y Piotr Tolstoi, por orden de Sofía, se dirigieron al barrio de los Strelizzi informándoles de que los Naryškin habían asesinado al zarevich Iván y querían hacer lo mismo con el resto de la familia real. Al conocer esta información, estalló la sublevación: armados con lanzas, alabardas, espadas y mosquetes, los strelizzi se dirigieron amenazadores hacia el Kremlin.

Al llegar a palacio, los brujos clamaron que les entregaran a los Naryškin y Artamon Matveev, a quienes acusaban de ser los responsables de la muerte de Zarevic Ivan. Comprendiendo que el levantamiento era fruto de un malentendido, Matveev pidió a la regente Natalia que demostrara a los brujos que Pedro e Iván estaban vivos. La mujer, aunque asustada, obedeció y este hecho, junto con un discurso pronunciado por Matveev y el patriarca Joaquín pareció calmar a la multitud amotinada, pero en cuanto Matveev volvió a entrar en palacio, el príncipe Mijaíl Dolgorukij, hijo del comandante de los brujos, amenazó a la multitud y este gesto incitó a los brujos a reanudar la revuelta.

Dolgorukij fue cogido a peso y arrojado a las lanzas de los demás amotinados, después su cuerpo fue despedazado; los amotinados irrumpieron entonces en el palacio donde desataron su ira saqueando y masacrando a sus rivales y a quienes los protegían: Entre las víctimas de esta masacre se encontraban Artamon Matveev, la mayoría de los boyardos, Afanasij Naryškin, hermano de la regente Natalia, el director de asuntos exteriores Ivanov, su hijo Vasilij y el verdugo Romodanovskij. La masacre terminó al caer la noche y todos los cuerpos o sus restos fueron llevados a la Plaza Roja para ser mostrados al pueblo ruso.

Al día siguiente, los brujos volvieron al Kremlin, esta vez en busca de Iván Naryškin, el segundo hermano del regente, dos médicos sospechosos de haber envenenado a Fiódor y a otros traidores. Iván, con la esperanza de calmar así el levantamiento, se entregó en manos de los cazadores de brujas, que primero lo torturaron durante horas y luego cortaron su cuerpo en pedazos; así se puso fin al levantamiento y a la masacre llevada a cabo por los cazadores de brujas.

Los dos zares

El 23 de mayo de 1682, la zarina Sofía instigó a los strelizzi a exigir un cambio en el trono ruso. Mediante una petición enviada a Chovansky, a quien Sofía ya había nombrado su comandante, los strelizzi exigieron que el joven Pedro se uniera a su hermanastro Iván en el trono ruso o, de lo contrario, marcharían de nuevo contra el Kremlin. Reunidos en el Palacio de las Facetas, el patriarca, los arzobispos y los boyardos accedieron a la petición de los strelizzi y decretaron por unanimidad que dos zares reinaran juntos en Rusia.

Pocos días después, el 29 de mayo, los Strelizzi presentaron una nueva petición solicitando que, debido a la corta edad de los dos zares, *la zarevna* Sofía se convirtiera en regente. El patriarca y los boyardos accedieron y ese mismo día se anunció por decreto que *la zarevna* Sofía Alekseevna sustituiría a la zarina Natalia como regente.

Tan pronto como se convirtió en regente, Sofía dispuso que sus lugartenientes fueran colocados en los más altos puestos de mando: su tío Iván Miloslavski fue su primer consejero hasta su muerte; Fiódor Šaklovitij se convirtió en el nuevo comandante de la brujería; el joven monje Sil'vestr Medvédev se convirtió en su consejero y amante; el príncipe Vasili Golicyn se convirtió en su primer ministro. El 25 de junio, a las cinco de la mañana, tuvo lugar en la Catedral de la Dormición la doble coronación de los zares Iván y Pedro.

La vida en Preobraženskoe

Temiendo por su vida y la de sus hijos Pedro y Natalia, la zarina Natalia abandonó el Kremlin y se trasladó con ellos a la mansión de Preobraženskoe, a orillas del río Jauza. Aquí, el joven Pedro pudo divertirse jugando a la guerra junto a los compañeros de juego que le asignaron cuando tenía cinco años y que procedían de las familias boyardas más nobles. En poco tiempo, Pedro creó en Preobraženskoe un auténtico campamento de soldados adolescentes.

En este "ejército" también podían alistarse muchachos de las clases sociales más bajas, como los hijos de escuderos y siervos. De este grupo de jóvenes nobles y mozos de cuadra, Pedro formó más tarde el Regimiento Preobraženský, que permaneció en activo hasta la caída de la monarquía rusa en 1917. En lugar de asumir el rango de coronel, Pedro se alistó en el regimiento Preobraženský como tamborilero para poder tocar el instrumento que adoraba.

Nunca hizo distinciones entre él y sus compañeros de regimiento, llegando incluso a dormir en sus propias tiendas y comer lo mismo. Estaba convencido de que "... hay que aprender el oficio de soldado y acabar haciendo carrera con la gavetta" y de que si él, el Zar, se comportaba así, ningún noble se atrevería a reclamar para sí funciones de liderazgo basándose en el título. Pedro llevaría consigo este curioso comportamiento durante el resto de su vida; de hecho, cuando marchaba con su verdadero ejército o navegaba con su verdadera flota, lo hacía siempre como oficial subalterno y nunca como jefe supremo.

Pasando la mayor parte del tiempo en sus juegos militares, Peter se había hecho más fuerte en cuerpo, pero no en cultura. De hecho, desde que dejó el Kremlin, el joven Pedro había abandonado casi por completo sus estudios. En 1688, Pedro recibió un sextante como regalo del príncipe Jakov Dolgorukij. Sin embargo, como nadie era capaz de explicarle cómo funcionaba el instrumento, el zar se dirigió al barrio alemán en busca de un experto, que encontró en la persona de Franz Timmerman, un anciano comerciante holandés: El hombre se mostró muy dispuesto a explicar a Pedro el uso del sextante, pero a cambio exigió que el joven zar se pusiera a estudiar aritmética y geometría. Pedro, impulsado por el deseo de utilizar el instrumento, se puso a estudiar aritmética y geometría a buen ritmo y también se interesó por temas antiguos como la geografía.

Junto con Timmerman, Peter realizó visitas a los pueblos cercanos y a las vastas propiedades reales. En junio de 1688, mientras se encontraban en una finca real cerca de Izmajlovo, Pedro encontró en un almacén un viejo barco que llevaba mucho tiempo sin usarse y que estaba casi completamente podrido. Por orden del zar, Timmerman reacondicionó la embarcación y, desde que estuvo lista, Peter salió a navegar todos los días por el río Jauza tomando clases de vela.

Deseoso de construir nuevos barcos, junto con Timmerman y Brandt, un carpintero holandés que había llegado a Rusia en 1660, Pedro construyó un astillero en la orilla oriental del lago Pleščeevo, cerca de Pereslavl'. Junto a ellos, y otros trabajadores holandeses, el Zar trabajó en la construcción de cinco barcos; sin embargo, ninguno de ellos estaba terminado cuando Pedro se vio obligado a regresar a Moscú para pasar el invierno.

Matrimonio con Evdokija

Mientras tanto, había surgido el problema de la sucesión al trono. Iván, de hecho, del matrimonio al que se había visto obligado sólo había tenido hijas y a Zarevna Sofía se le impidió casarse. Pedro se vio así obligado a casarse y producir un heredero al trono ruso. Como no mostró el menor interés por el asunto, dejó que su madre Natalia organizara el matrimonio.

Eligió por hijo a la joven Evdokija Lopukhina, de una antigua familia moscovita. Su matrimonio, celebrado el 27 de enero de 1689, resultó un completo fracaso hasta tal punto que, al poco tiempo, Pedro apenas podía soportar la presencia de su esposa a su lado. Pronto comenzaron fuertes tensiones y desacuerdos entre Natalia y Evdokija.

En el lago Pleščeevo

En abril de 1689, Pedro se distanció de su esposa y de su madre y regresó al lago Pleščeevo para comprobar hasta qué punto había avanzado la construcción de los barcos. Una orden perentoria de su madre le obligó a regresar a Moscú, de donde sólo consiguió salir un mes después para volver al lago a terminar los barcos.

Los años de la regencia fueron un desastre para Rusia: el ejército estaba mal organizado, la colonización de las lejanas provincias siberianas se detuvo y el comercio ruso languideció en manos extranjeras. Los únicos éxitos se encuentran en la política exterior, pero no bastan para acabar con el descontento popular.

Obligado una vez más a regresar a Moscú para una ceremonia oficial, Pedro fue consciente de que se avecinaba una crisis política que tal vez llevaría a la desaparición política de la regente Sofía. En efecto, las dos campañas militares en Crimea, instigadas por la regente y dirigidas por su amante, el príncipe Vasili Golicyn, se habían saldado con sendos fracasos rotundos, lo que había provocado una oleada de resentimiento entre el creciente número de opositores al régimen de Sofía.

La exautorización de Sofía

A última hora de la tarde del 17 de agosto de 1689, comenzó a circular una carta anónima en la que se afirmaba que en el transcurso de la noche el ejército privado de Pedro asaltaría el Kremlin y mataría al zar Iván y a la regente Sofía. Fyodor Šaklovitij, el nuevo comandante de los Strelizzi, ordenó entonces que se cerraran las puertas del Kremlin y que un grupo de centinelas patrullara todo el camino hasta Preobraženskoe. En Preobraženskoe, la noticia de la agitación en el Kremlin causó cierta alarma, pero no se tomaron precauciones.

Esa noche, uno de los chambelanes de Pedro fue enviado al Kremlin con un despacho ordinario. Sabiendo que había sido enviado por Pedro, el mensajero fue capturado y llevado a presencia de Saklovitij. En cuanto supo lo que le había ocurrido al mensajero de Pedro, el teniente coronel Larion Elizarov, leal al zar Pedro, dedujo que estaba a punto de comenzar un ataque contra Preobraženskoe y envió a dos hombres para avisar al zar. Los dos mensajeros llegaron a Preobraženskoe poco después de medianoche e informaron a Pedro del inminente ataque de los Strelizzi. Pedro, junto con algunos leales, huyó de Preobraženskoe en mitad de la noche para refugiarse en el monasterio de la Trinidad. A las pocas horas, Natalia y Evdokija, que habían escapado de Preobraženskoe escoltadas por los soldados de Peter, llegaron también al monasterio.

Al darse cuenta de que la huida de Pedro al monasterio podía ser utilizada en beneficio político del zar, Sofía comprendió que su posición estaba seriamente amenazada. Cuando se enteró de que Pedro había ordenado al coronel del regimiento Stremjani, Ivan Cykler, que se reuniera inmediatamente con él en el monasterio, le aterrorizó que Cykler pudiera confesar bajo tortura las intenciones de Šaklovitij de eliminar a los Naryškin. Cuando llegó al monasterio, Cykler contó todo lo que sabía sin necesidad de tortura y se ofreció a ponerse de parte de Peter. Viéndose perdida, Sofía comprendió que su única salvación sería una reconciliación y envió a Ivan Troekurov al monasterio para persuadir a Pedro de que regresara a la capital. Sin embargo, la misión de Troekurov no tuvo éxito.

Pedro escribió entonces una carta a los coroneles de todos los regimientos de strelizzi ordenándoles que se reunieran con él en el monasterio con diez hombres de cada regimiento. Sofía, para impedir tal movilización de strelizzi, declaró que todo aquel que pretendiera partir hacia el monasterio sería decapitado. Al día siguiente, Pedro envió un despacho oficial al zar Iván y a Sofía en el que rogaba a su hermanastra que velara por el cumplimiento de sus órdenes. El regente, con la esperanza de una reconciliación, rogó al patriarca Joaquín que fuera al monasterio para persuadir a Pedro. El patriarca fue al monasterio, pero nada más llegar se puso inmediatamente de parte del joven zar.

El 27 de agosto Pedro envió nuevas cartas repitiendo las mismas órdenes que las anteriores y amenazando de muerte a quienes no le obedecieran. Estas cartas surtieron efecto y una masa de strelizzi abandonó la capital para dirigirse al monasterio. En un último intento de resolver la crisis mediante la reconciliación, Sofía decidió ir ella misma al parlamento con Pedro.

Partió acompañada de Golicyn, Šaklovitij y un escuadrón de brujos, pero al llegar a la aldea de Vozdviž fue detenida por los hombres de Pedro y obligada a regresar a Moscú. Pocas horas después, Pedro envió a su hermana otras cartas en las que anunciaba que había descubierto la existencia de un complot para asesinarle y que los dos conspiradores eran Šaklovitij y Sil'vestr Medvedev, que debían ser detenidos y llevados al monasterio para ser juzgados. Estas cartas hicieron que la mayoría de los Strelizzi abandonaran a Sofía y se pusieran del lado de Pedro; sola y sin salida, Sofía intentó arengar a una multitud de Strelizzi y ciudadanos, pero fracasó. El 14 de septiembre llegó al barrio alemán una proclama de Pedro dirigida a todos los soldados que vivían en el barrio, en la que reiteraba la existencia de un complot y les invitaba a reunirse con él en el monasterio. Tras una duda inicial, los oficiales extranjeros, encabezados por el general Patrick

Gordon, partieron hacia el monasterio; los strelizzi que permanecían en Moscú amenazaron a Sofía con iniciar una revuelta si no se les entregaba Šaklovitij. La mujer, temiendo que también la mataran en un posible levantamiento, se lo entregó y lo llevaron ante Pedro.

La lucha había terminado y la regencia concluido; Pedro había ganado. A la victoria siguió la venganza. El primero en sufrir las consecuencias más duras fue Šaklovitij: interrogado bajo tortura, confesó haber conspirado contra Pedro, por lo que fue condenado a muerte y decapitado cuatro días después fuera de los muros del monasterio. Medvedev, interceptado cuando intentaba escapar a Polonia, fue conducido al monasterio, torturado, encarcelado, torturado de nuevo y finalmente, dos años más tarde, ejecutado; Golicyn, que había acudido al monasterio por voluntad propia el día de la detención de Šaklovitij, fue privado de su título de boyardo y de sus bienes y exiliado con su familia a un pueblo del Ártico. La regente Sofía fue depuesta y obligada a retirarse de por vida al convento de Novodevicij. El 16 de octubre de 1689, Pedro regresó finalmente a Moscú en medio de dos alas de multitudes arrodilladas que reconocían su título de monarca absoluto para siempre.

Los primeros años de mi reinado

Durante otros cinco años, el zar descuidó el gobierno para volver a la vida que llevaba en Preobraženskoe y el lago Pleščeevo, que consistía en soldados-boys, barcos y falta de responsabilidad. Durante este periodo, el gobierno fue administrado por un pequeño grupo de personas que habían apoyado a Pedro en su reciente enfrentamiento con la regente Sofía.

La zarina Natalia era su jefa nominal; el patriarca Joaquín era su más estrecho colaborador; Lev Naryškin, hermano de Natalia, era el director de Asuntos Exteriores y el boyardo Tikhon Strešnev era el ministro del Interior. En el gobierno había también otros nombres prestigiosos: Boris Golicyn, Urusov, Romodanovsky, Troekurov, Prozorovsky, Golovkin, Dolgorukij. Repnin y Vinius conservaron sus mandatos y Boris Petrovič Šeremetev permaneció al frente del ejército de Rusia del Sur para hacer frente a los tártaros.

PETRUS DE Iste
Bygenaamd den Grooten,
KEIZER VAN RUSLAND.

Nacimiento de los Zarevic y muerte del Patriarca

El 28 de febrero de 1690 nació Alexis Petróvich. A esta gran alegría para Rusia siguió un gran luto: el 17 de marzo del mismo año murió el patriarca Joaquín. Como sucesor, parte del clero más culto, y el propio Pedro, propusieron a Marcelo, metropolitano de Pskov, mientras que la zarina Natalia y los boyardos propusieron a Adrián, metropolitano de Kazán'. Tras cinco meses de debate, a pesar de la firme oposición de Pedro, Adriano fue elegido.

La alegre compañía

A partir de 1690, tras la muerte del patriarca Joaquín, Pedro empezó a frecuentar cada vez con más asiduidad el barrio alemán. Allí conoció y entabló amistad con Andrej Vinius, un ruso holandés, el general escocés Patrick Gordon y el aventurero suizo François Lefort. En casa de Lefort conoció a la joven Anna Mons, hija de un comerciante de vinos de Westfalia.

En poco tiempo, Anna se convirtió en su amante y permaneció así durante doce años, en los que más de una vez aspiró a sustituir a Evdokija como zarina de Rusia. El zar, Vinius, Gordon, Lefort, los príncipes rusos Mikhail Cerkassky y Fyodor Romodanovsky y otros formaron un grupo muy unido que adoptó el nombre de "Compañía Alegre". El grupo llevaba una vida vagabunda, dejándose caer de repente para comer, beber y dormir en alguna villa aristocrática ante el asombro de los propietarios.

Juegos militares

Durante el verano de 1690, Pedro participó en una maniobra militar en la que el regimiento Preobraženský atacó el campamento fortificado del regimiento Semynovsky. Durante este ejercicio, el propio Pedro resultó herido cuando un recipiente lleno de pólvora pirotécnica estalló cerca de él, quemándole la cara. En otoño de 1691 tuvieron lugar dos simulacros de batalla entre los dos regimientos. En el segundo de ellos, algunos soldados perdieron la vida y Gordon y el príncipe Ivan Dolgorukij resultaron heridos, pero mientras el primero se libró con una semana de reposo en cama, el segundo murió pocos días después de una infección.

Arcángel

Durante todo este periodo, Pedro no se olvidó de sus barcos. En 1691 contrató a veinte ingenieros navales holandeses y cuando fue al lago Pleščeevo los encontró trabajando con Brandt en dos fragatas y tres barcos de recreo. En 1692 Pedro visitó el lago cuatro veces y en una de estas ocasiones estuvo acompañado por su madre y su esposa. De regreso a Moscú, en noviembre de 1692, Pedro sufrió un grave ataque de disentería que le obligó a guardar cama durante seis semanas y que le hizo temer por su vida.

A finales de febrero de 1693, Pedro se dirigió de nuevo a Preslav'l para trabajar en sus barcos y permaneció allí durante la Cuaresma. En julio de ese año, Pedro, cansado del lago Pleščeevo, se dirigió a Arcángel, un puerto situado cerca del mar Blanco, donde comenzó a navegar en alta mar a bordo del *San Pedro*, un pequeño barco construido especialmente para él.

Al final del verano, Pedro inició la construcción de un navío mayor y ordenó que estuviera terminado para el invierno. También pidió a Lefort y Vinius que encargaran una fragata holandesa a Nicholas Witsen, burgomaestre de Ámsterdam. Pedro dejó Arcángel a mediados de septiembre y regresó a Moscú un mes más tarde. El 4 de febrero de 1694, tras una enfermedad de sólo dos días, la zarina Natalia murió a la edad de cuarenta y dos años. Pedro estaba en un banquete cuando le informaron de que su madre se moría.

Inmediatamente corrió hacia ella, pero tras una disputa con el patriarca Adriano, se marchó enfadado. Estaba en Preobraženskoe cuando le comunicaron que su madre había muerto. Sumido en la desesperación, Pedro ni siquiera asistió al funeral de su madre, sino que fue a rezar solo ante su tumba después del entierro. En la primavera de 1694, Pedro regresó a Arcángel, donde encontró terminado el barco que había comenzado el verano anterior y al que dio el nombre de *San Pablo.*

Decidido a ir al monasterio de Soloveckij, la noche del 10 de junio embarcó en el *San Pedro* junto con Afanasij, arzobispo de Kholmogory, algunos amigos y un grupo de soldados. Al día siguiente, a 80 millas de la costa de Arcángel, el barco fue alcanzado por un violento chaparrón. Tras unas veinticuatro horas de terror, la pequeña embarcación llegó al monasterio de Pertominsk, en cuya capilla se reunió toda la tripulación para dar gracias al Señor por haberles salvado la vida. El 16 de junio, Pedro zarpó de nuevo hacia el monasterio de Soloveckij, donde permaneció tres días.

Su regreso a Arcángel fue recibido con alegría por sus amigos, que temían que, dada la tormenta, el *San* Pedro hubiera naufragado. El 21 de julio, la fragata holandesa *Holy Prophecy* que Pedro había encargado llegó al puerto de Arcángel. Una semana más tarde, la pequeña flota de Pedro escoltó a un convoy de mercantes holandeses e ingleses de regreso a Svjatoj Nos. Consciente de su experiencia anterior, Pedro no quiso aventurarse en las aguas del océano Ártico, por lo que regresó a Arcángel, de donde partió el 3 de septiembre para volver a Moscú.

En septiembre de 1694 se celebró en un gran valle cercano a la aldea de Kožuchovo el último ejercicio militar de Pedro en tiempos de paz. De hecho, el zar decidió que había llegado el momento de dejar de jugar a la guerra y dirigir su ejército contra los turcos, con los que Rusia seguía en guerra.

Primera campaña de Azov

En el invierno de 1695, Pedro anunció que Rusia reanudaría la guerra contra los tártaros de Crimea y su amo, el Imperio Otomano, en verano. El deseo de Pedro de llegar al mar y poner a prueba a su ejército junto con otras razones (las continuas incursiones tártaras y la necesidad de obtener un resultado militar que satisficiera a Polonia) impulsaron a Pedro a atacar la fortaleza turca de Azov, necesaria para hacerse con el control de las desembocaduras de los ríos Dnepr y Don y, por tanto, con el acceso al Mar Negro.

A diferencia de expediciones anteriores, Pedro decidió utilizar barcazas como medio de transporte; se formaron dos ejércitos separados: el ejército oriental, cuya tarea consistía en desplazarse al sur del Don para atacar la fortaleza de Azov, y el ejército occidental, cuya tarea consistía en desplazarse a lo largo del Dnepr para atacar los dos fuertes de Očakiv y Kazikerman y distraer al grueso de la caballería tártara de las tropas de Pedro en Azov. En marzo, el general Gordon partió de Moscú con 10.000 soldados, desplazándose hacia el sur a través de la estepa, mientras que el grueso del ejército (21.000

hombres) con Peter, Lefort y Golovin abandonó la capital en mayo embarcando en barcazas, uniéndose a Gordon en Azov el 29 de junio.

Sin embargo, la campaña resultó infructuosa debido a varios problemas: faltaban ingenieros con experiencia en asedios, el sistema de suministros no estaba preparado para afrontar el problema de abastecer a 30.000 hombres durante un largo periodo de tiempo y los strelizzi se negaban a seguir las órdenes dadas por los oficiales europeos. La situación empeoró con la traición del marino holandés Jacob Jensen, que se pasó a los turcos y les reveló información importante para derrotar al ejército ruso. El 15 de agosto, los rusos lanzaron un ataque masivo por sorpresa contra la fortaleza, pero no lograron tomarla y sufrieron pérdidas de más de 1.500 hombres.

Un segundo ataque infructuoso y la llegada del frío invierno obligaron a Pedro a levantar el sitio de Azov el 12 de octubre. La retirada hacia el norte fue un desastre y costó más vidas humanas que la campaña de asedio. Durante siete semanas, los rusos caminaron bajo la lluvia por la estepa perseguidos y acribillados por la caballería tártara. El 2 de diciembre, los supervivientes llegaron a Moscú. Pedro, imitando los precedentes de Sofía y Golicyn que él mismo había condenado, intentó enmascarar su derrota escenificando un regreso triunfal a la capital.

Segunda campaña de Azov

Sin inmutarse, Pedro inició de inmediato los preparativos para un segundo ataque, preocupándose de resolver los problemas que habían surgido durante el primero: pidió al Emperador artilleros experimentados, ingenieros y marinos cualificados, ordenó la construcción de 25 galeras con armamento y 1.300 nuevas barcazas capaces tanto de transportar provisiones y tropas como de hacer frente a los barcos turcos. Para que estuvieran listas en mayo de 1696, Pedro hizo construir nuevos astilleros en Voronež, ciudad situada a orillas del río Don; amplió los astilleros existentes; reclutó a un gran número de obreros y apeló al Dux de Venecia para que le enviara técnicos experimentados en la construcción de galeras.

Mientras el futuro "Grande" se dedicaba a esta hercúlea tarea, el zar Iván murió repentinamente el 8 de febrero de 1696. Pedro era ahora el único y supremo gobernante del Estado ruso. Aunque la movilización general fue más limitada que la anterior, la fuerza destinada a lanzar el segundo asalto a Azov era el doble de grande: 46.000 soldados rusos flanqueados por 15.000 cosacos ucranianos, 5.000 cosacos del Don y 3.000 calmucchi.

El 3 de mayo, parte de la flota rusa inició su viaje a lo largo del Don. Pedro, que partió algún tiempo después con una flota de ocho galeras ligeras, alcanzó al grueso de la flota el 26 de mayo. Las hostilidades se abrieron de inmediato. El 29 de mayo, mientras los turcos transportaban desde los barcos a tierra víveres destinados a la fortaleza, los cosacos lograron capturar a diez de ellos y poner en fuga a los demás. Pocos días después, Pedro consiguió que toda su fuerza de 29 galeras pasara sin ser molestada por la fortaleza de Azov. La ciudad quedó así completamente aislada. El ejército ruso consiguió sitiar completamente la ciudad.

El 26 de junio, los cañones rusos abrieron fuego contra la fortaleza de Azov; días después, los turcos anunciaron su rendición. Pedro les permitió abandonar Azov, pero exigió a cambio que entregaran al traidor Jensen, hizo que las mezquitas de la ciudad se convirtieran en iglesias cristianas, ordenó la demolición de todas las obras de asedio y la restauración de las murallas y muros fortificados de la ciudad. Antes de abandonar Azov, Pedro asistió a la misa celebrada en una nueva iglesia. El 10 de octubre, el zar regresó triunfalmente a Moscú.

Constitución de la Flota Rusa

En cuanto se celebró el triunfo en Moscú, Pedro reunió al consejo de boyardos en Preobraženskoe y anunció su intención de colonizar Azov y Taganrog y construir una flota naval: treinta mil familias campesinas y tres mil strelizzi fueron enviados a Azov como colonos militares, mientras que veinte mil ucranianos fueron enviados a Taganrog para construir el puerto.

El 20 de octubre de 1696, un decreto aprobó la constitución de la Armada rusa; los gastos de construcción de los nuevos barcos, que debían estar listos en dieciocho meses en los astilleros de Voronež, se dividieron entre los comerciantes, la iglesia y los terratenientes: el Estado debía construir diez barcos por su cuenta; cada terrateniente debía construir uno, al igual que cada gran monasterio.

Aunque los carpinteros de ribera procedían de toda Europa, se habrían necesitado muchos más técnicos para construir la flota que Pedro tenía en mente. Otro problema surgiría cuando se botara la flota, ya que al menos algunos de los oficiales debían ser rusos. El 22 de noviembre, Pedro declaró que enviaría a Europa a más de cincuenta rusos, en su mayoría jóvenes vástagos de las familias más nobles, para estudiar ingeniería náutica y naval. En los años siguientes, docenas y docenas de otros jóvenes rusos fueron enviados al extranjero para recibir formación náutica; los conocimientos que trajeron consigo a su regreso ayudaron a transformar Rusia.

La Gran Embajada

Sin embargo, con la toma de Azov, Pedro sólo había conseguido acceso al mar de Azov, porque la entrada al mar Negro seguía bloqueada por la poderosa fortaleza turca de Kerc, situada al otro lado del estrecho entre el mar de Azov y el mar Negro. Para forzar este estrecho, Rusia necesitaba no sólo hombres y tecnología avanzada, sino también aliados poderosos y de confianza.

Con el objetivo principal de crear una alianza contra los turcos, se formó la "Gran Ambassaderie", en la que el propio zar debía participar de incógnito bajo el nombre de Petr Mikhajlov. Lefort fue nombrado jefe de la embajada, con el rango de primer embajador. Los otros dos embajadores eran Fyodor Golovin y Prokofij Voznicyn. En su séquito había veinte nobles y treinta y cinco voluntarios, a los que seguían chambelanes, sacerdotes, secretarios, intérpretes, músicos, cantantes, cocineros, cocheros, setenta soldados y cuatro enanos, lo que hacía un total de más de doscientas cincuenta personas.

Para gobernar Rusia en su ausencia, Pedro creó un consejo de regencia compuesto por Lev Naryškin, el príncipe Boris Golicyn y el príncipe Pyotr Prozorovsky; nominalmente subordinado a estos tres hombres, pero de hecho Virrey de Rusia, estaba el príncipe Fyodor

Romodanovsky. La víspera de la partida de los embajadores se vio entristecida por un trágico episodio: el coronel Ivan Cykler y dos boyardos fueron encarcelados acusados de conspirar contra el zar.

A pesar de la escasez de pruebas contra ellos, todos fueron condenados a muerte y ejecutados de una de las formas más atroces que conoce la historia: primero les cortaron las piernas y los brazos, luego la cabeza, y bajo la caja del verdugo se colocó el ataúd de Ivan Miloslavsky, abierto para que la sangre de los condenados fluyera sobre el cadáver. El 20 de marzo de 1697, los Grandes Embajadores partieron hacia Nóvgorod y Pskov.

Livonia

Tras cruzar la frontera rusa, entró en la provincia báltica de Livonia, controlada por los suecos. Con la intención de cruzar el Dvina, Pedro se vio obligado, debido a la presencia de hielo en el río, a detenerse durante una semana en Riga, la capital de Livonia. Erik Dahlberg, el gobernador sueco de Riga, se encontró completamente desprevenido para recibir a los miembros de los embajadores con los debidos honores.

No se celebraron banquetes ni recepciones de embajadores en toda la semana. Además, el Zar, sorprendido dibujando y midiendo las murallas de la ciudad, se arriesgó a ser asesinado por un centinela sueco que le creyó un espía ruso. El asunto se resolvió con las disculpas de Dahlberg al zar. Estos acontecimientos contribuyeron a que Riga siguiera siendo siempre una ciudad desagradable e inhóspita en la memoria de Pedro.

Ducado de Courland

Tras cruzar el Dvina, Pedro entró en el Ducado de Courland. Aunque su país era pobre, el duque Federico Casimiro Kettler no cometió el error de Riga y honró la embajada con suntuosos agasajos.

Brandemburgo

Su siguiente destino fue Königsberg, en el electorado de Brandeburgo, donde Pedro fue recibido por el propio elector, Federico III de Hohenzollern. Federico soñaba con transformar el electorado en un poderoso reino con el nombre de Prusia y cambiar su título por el de Federico I, rey de Prusia. El emperador de Austria podría concederle el título, pero la expansión del reino sólo podría tener lugar a expensas de Suecia. Por ello, Federico buscó la alianza rusa para oponerse a Suecia. Pedro, aún en guerra con Turquía, no consideró oportuno provocar a los suecos, sino que estableció un tratado de ayuda mutua con Federico en caso de ataque de sus enemigos mutuos.

Por desgracia, también en Königsberg, Pedro se metió en problemas. El día de su onomástica, contando con la visita de Federico, Pedro había preparado un espectáculo de fuegos artificiales en su honor. Ajeno a la importancia del día, Federico había abandonado la ciudad y delegado en algunos de sus ministros para que le representaran en la fiesta del zar. Pedro, ofendido, pronunció en voz alta la frase "¡El elector es una excelente persona, pero sus ministros son el diablo!" y luego, en un arrebato de cólera, ahuyentó bruscamente a un brandeburgués que creía que se reía de él.

Una vez enfriada su ira, el zar escribió una carta de disculpa a Federico y, antes de su partida, hizo nuevas paces enviándole un gran rubí. Aunque deseoso de partir hacia Holanda, Pedro quiso quedarse en Königsberg hasta que se resolviera la situación en Polonia, cuyo trono se disputaban dos pretendientes: Augusto, Elector de Sajonia y Francisco Luis de Borbón, Príncipe de Conti, apoyado por Luis XIV.

Un rey francés en el trono polaco habría significado el fin de la participación de Polonia en la guerra contra los turcos y la extensión del poder de Francia a Europa Oriental. Si la Dieta elegía rey a Conti, Pedro estaba dispuesto a invadir Polonia. A mediados de agosto llegó la noticia de que Augusto de Sajonia había sido elegido rey de Polonia. Complacido por ello, Pedro quiso llegar a Holanda por mar, pero se vio obligado a cambiar sus planes debido a la presencia de buques de guerra franceses en el Báltico.

El zar abandonó Königsberg en gran secreto para evitar encontrarse con curiosos deseosos de verle. A su paso por Alemania, en Koppenbrügge, Pedro se reunió y cenó con Sofía, viuda del príncipe elector de Hannover, y su hija Sofía Carlota, electora de Brandeburgo. Tras estos encuentros, Pedro se dirigió a Holanda.

Holanda

Deseoso de visitar la ciudad de Zaandam, famosa por sus astilleros, una vez llegado a Emmerich, a orillas del Rin, Pedro alquiló un barco y navegó con él hasta la ciudad. Llegó allí en la mañana del domingo 18 de agosto. Apareciendo de incógnito en un astillero, el Zar comenzó a trabajar con los demás obreros en la construcción de los barcos. En poco tiempo se descubrió su identidad y en menos tiempo aún acudió a Zaandam gente de toda Holanda para verle. Pedro, no pudiendo soportar toda aquella multitud que le impedía incluso salir de su casa, se vio obligado a abandonar la ciudad a toda prisa y dirigirse a Amsterdam.

Los magnates de Ámsterdam, conscientes de la importancia que esta embajada podría tener en el futuro para el desarrollo comercial con Rusia, decidieron recibirla con los honores y el protocolo reservados a los reyes. Por ello, se organizaron recepciones, representaciones de ópera y ballets. Fue durante estos festejos cuando Pedro conoció a Nicolás Witsen, burgomaestre de la ciudad. Con la ayuda de Witsen, Pedro fue contratado para trabajar en los astilleros de la Compañía de las Indias Orientales. Además, para ayudarle a formarse en la construcción náutica, el consejo de administración de la Compañía ordenó poner la quilla de una nueva fragata, para que el zar y sus acompañantes pudieran estudiar desde el principio los métodos de construcción holandeses. La fragata recibió finalmente el nombre de *Los Apóstoles Pedro y Pablo,* y Pedro trabajó en todas las etapas de su construcción.

La curiosidad de Peter era insaciable. Quería verlo todo con sus propios ojos; visitó granjas, aserraderos, hilanderías, fábricas de papel, talleres de artesanos, museos, jardines botánicos y talleres. Durante sus meses en Ámsterdam conoció a arquitectos, escultores y a Van der Heyden, el inventor de la bomba de incendios, a quien intentó convencer de que se trasladara a Rusia. Visitó al arquitecto Simon Schonvoet, el museo de Jacob de Wilke y aprendió a dibujar bajo la dirección de Schonebeck.

En Delft visitó al ingeniero barón de Coehoorn, que le dio lecciones sobre la ciencia de las fortificaciones. En varias ocasiones, Pedro abandonó las obras para visitar al profesor Fredrik Ruysch, conocido catedrático de anatomía. Fue Ruysch quien aconsejó a Pedro sobre la elección de los médicos que debía llevar a Rusia para el ejército y la marina. En Leiden, Pedro conoció al Dr.

Boerhaave, profesor de anatomía y director de un conocido jardín botánico. En Delft conoció al naturalista Antoni van Leeuwenhoek, inventor del microscopio.

En Utrecht, Pedro se reunió con Guillermo III de Orange, rey de Inglaterra y *estatolder* de Holanda, un hombre al que el zar admiraba desde la infancia: Pedro propuso una alianza de los cristianos contra los turcos, pero Guillermo, ya en guerra con Francia, no quiso asumir la carga de abrir otro frente de hostilidad en Oriente. Pedro, a través de la persona de Lefort, hizo la misma propuesta a los líderes formales de Holanda, los Estados Generales, pero incluso de ellos recibió consejos contrarios.

En Holanda, Pedro también conoció al famoso almirante holandés Gilles Schey, que hizo construir para él un gran simulacro de batalla naval en el Ij. Pedro intentó por todos los medios persuadir al almirante para que fuera a Rusia a supervisar la construcción de su flota, pero éste declinó la oferta, proponiendo en su lugar al almirante Cornelius Cruys. Durante el otoño, Pedro, acompañado por Witsen, visitó Holanda a lo largo y ancho. A excepción de estas excursiones, Pedro trabajó en el astillero durante cuatro meses. El 16 de noviembre el barco estaba listo para la botadura y Witsen, en nombre de la ciudad de Ámsterdam, se lo ofreció a Pedro como regalo.

El Zar, emocionado, quiso bautizar la fragata con el nombre de *Ámsterdam*. Peter estaba encantado con el regalo, pero aún lo estaba más con el certificado que recibió de Gerrit Pool, el maestro constructor, en el que se afirmaba que Petr Mikhajlov había adquirido los fundamentos del arte náutico. Deseoso de aprender los secretos básicos del diseño náutico, ahora que la fragata estaba terminada, Peter decidió viajar a Inglaterra para estudiar las técnicas náuticas inglesas. El 7 de enero de 1698, tras una estancia de cinco meses en Holanda, Peter y su séquito embarcaron en el *Yorke*, el buque insignia de Sir David Mitchell, que zarpó hacia Inglaterra al día siguiente.

Inglaterra

Veinticuatro horas más tarde, el *Yorke* llegó a la costa de Suffolk. En la desembocadura del Támesis, el almirante Mitchell y Peter se trasladaron a un buque más pequeño llamado *Mary*. El *Mary* remontó el Támesis y en la mañana del 11 de enero echó el ancla cerca del puente de Londres. Peter pasó sus primeros días en Londres en una casa del número 21 de Norfolk Street.

El 23 de enero, acompañado por el almirante Mitchell y dos acompañantes rusos, Pedro se reunió de nuevo con el rey Guillermo III, que le recibió en el palacio de Kensington. Esta visita fue la única ceremonia oficial a la que asistió Pedro durante su estancia en Londres. De incógnito, le encantaba pasear por la ciudad curioso de todo. Por comodidad y para escapar de la curiosidad de las multitudes, el zar se trasladó a Deptford, en Sayes Court, propiedad del escritor John Evelyn.

Muy conscientes de la escasa adhesión de Pedro a la fe ortodoxa, el arzobispo de Canterbury Thomas Tenison y el rey Guillermo, con la ayuda de Gilbert Burnet, obispo de Salisbury, intentaron convertir al zar al protestantismo sin éxito. Durante este periodo, varios miembros de otras religiones intentaron lo mismo. También durante este periodo, los comerciantes ingleses exigieron y obtuvieron del zar el monopolio del comercio del tabaco en Rusia.

En Inglaterra, como en Holanda, Peter trabajó en los astilleros del bajo Támesis. En los ratos que no trabajaba recorría Londres y sus alrededores para visitar todos los lugares de interés. Visitó el hospital naval de Greenwich, las tumbas de los soberanos ingleses en Westminster, el castillo de Windsor, Hampton Court, el observatorio de Greenwich, el Arsenal de Woolwich y la Torre de Londres.

Durante toda su estancia en Inglaterra, Pedro se dedicó a la búsqueda continua de hombres cualificados para contratarlos a su servicio trayéndolos a Rusia. Finalmente, convenció a unos 60 ingleses para que le siguieran. Entre ellos se encontraban el mayor Leonard van der Stamm, maestro carpintero naval en Deptfort; el capitán John Perry, ingeniero hidráulico a quien Pedro confió la construcción del canal Volga-Don; y el profesor Henry Farquharson, matemático de la Universidad de Aberdeen, a quien encargó la fundación de una escuela de matemáticas y náutica en Moscú.

La simpatía y gratitud de Pedro hacia el rey Guillermo se acentuaron cuando el soberano inglés le regaló el barco *de transporte real* y alcanzaron su punto culminante cuando pudo presenciar las maniobras navales de la flota inglesa, organizadas para él en la isla de Wight. Las relaciones entre ambos soberanos se enfriaron cuando Pedro descubrió que Guillermo había presionado al emperador de Austria para que concluyera una paz con los turcos. Si tal paz hubiera tenido lugar, las razones que habían impulsado a Pedro a crear la Gran Embajada, a saber, reforzar la alianza de Rusia con los demás Estados contra los turcos, habrían desaparecido.

Pedro, aunque reticente, se vio obligado a abandonar Inglaterra e ir a Viena. El 18 de abril hizo su visita de despedida al rey Guillermo. El 2 de mayo abandonó Londres con pesar a bordo del *Royal Transport*. Hizo una última visita a la Torre y una breve escala en los astilleros de Woolwich para despedirse de sus compañeros. Partiendo de nuevo, el Royal *Transport* llegó a Gravesend al anochecer. A la mañana siguiente zarpó hacia Margate, donde el estuario del Támesis se encuentra con el mar. Aquí encontró una escuadra naval británica al mando del almirante Mitchell, que le escoltó hasta Holanda.

Peter nunca regresó a Inglaterra, pero siguió tan cerca de su corazón que repetía: "Inglaterra es la más bella y la mejor de todas las islas del mundo".

Viena

Durante la estancia de Peter en Inglaterra, los demás miembros de la Ambassaderie no se quedaron de brazos cruzados. A su regreso a Holanda, Pedro encontró una gran cantidad de material, armas, instrumentos y suministros navales esperándole. Además, la Ambassaderie había contratado a 640 holandeses, entre ellos el contralmirante Cornelius Cruys y otros oficiales navales, marineros, ingenieros, técnicos, constructores navales, médicos y otros especialistas.

El 15 de mayo de 1698, Pedro y la Gran Embajada salieron de Ámsterdam y se dirigieron a Viena pasando por Leipzig, Dresde y Praga. Como el emperador Leopoldo I no permitía que ningún otro mortal fuera su igual salvo el Papa, surgieron problemas sobre cómo tratar al zar de Rusia. Pedro consiguió una reunión informal con el soberano en el Palacio de los Favoritos.

A pesar de toda la atención oficial que recibió, la misión de Pedro a Viena fue un fracaso diplomático. Los Grandes Embajadores habían ido a Viena para intentar convencer a Austria de que reanudara la guerra contra los turcos con mayor intensidad. En lugar de ello, la diplomacia rusa se encontró discutiendo con los Habsburgo para evitar una paz separada entre el imperio y el sultán, que de hecho era mucho más favorable para Austria que para Rusia. Tras darse cuenta de que los austriacos estaban más que decididos a firmar la paz, Pedro exigió al emperador que presionara a los turcos para que cedieran a Rusia la fortaleza de Kerč', sin la cual la nueva flota rusa nunca habría podido entrar en el mar Negro. Aunque estaba convencido de que Turquía nunca cedería la fortaleza por la sola vía diplomática, el emperador prometió que no firmaría ningún tratado de paz con los turcos sin antes informar al zar de sus términos.

Regreso a la patria

El 15 de julio de 1698, cuando todo estaba listo para la partida de los embajadores a Venecia, llegó de Moscú un despacho urgente de Romodanovsky con noticias inquietantes: cuatro regimientos de los Strelizzi, a los que se había ordenado trasladarse desde Azov a la frontera polaca, se habían rebelado y marchaban hacia Moscú. Pedro decidió inmediatamente no continuar, cancelar su visita a Venecia y regresar a Moscú para ocuparse de lo que estuviera ocurriendo.

El 19 de julio, Pedro salió de Viena en dirección a Polonia, desde donde debía continuar hacia Moscú. En Cracovia le recibió un mensajero enviado por Voznicyn con nuevas y más reconfortantes noticias: Aleksej Semënovič Šein y el general Gordon habían logrado interceptar y aplastar a los insurgentes: 130 habían sido pasados por las armas y 1860 habían sido encarcelados. Pedro decidió en cualquier caso regresar a Rusia tras año y medio de ausencia, pero reanudó el viaje mucho más cómodamente.

Al llegar a la ciudad de Rawa, en Galitzia, Pedro se reunió con Augusto, Elector de Sajonia y Rey de Polonia. Los cuatro días pasados en Rawa sentaron las bases de algunos acontecimientos futuros que afectarían al futuro de Rusia. En efecto, fue durante esos días cuando Augusto, que ya había obtenido el apoyo de Pedro para su coronación como rey de Polonia, aprovechó la amistad del zar para llevar a cabo otro de sus ambiciosos planes: un ataque conjunto contra los suecos para arrebatar a Suecia las provincias bálticas que excluían a Rusia y Polonia del acceso al Báltico.

La Gran Embajada había llegado a su fin y el propósito para el que había sido creada había fracasado. Sin embargo, en términos de resultados prácticos y pragmáticos, la Embajada fue un éxito. Pedro y sus embajadores habían logrado reclutar a más de 800 expertos técnicos europeos para colocarlos en diversos niveles de la economía rusa. Lo que había visto y aprendido en Europa reforzó en el Zar su antigua opinión, nacida en el barrio alemán, de que los rusos llevaban décadas de retraso tecnológico. Por ello, Pedro estaba decidido a cambiar la nación y a proporcionar él mismo la fuerza suficiente para el cambio.

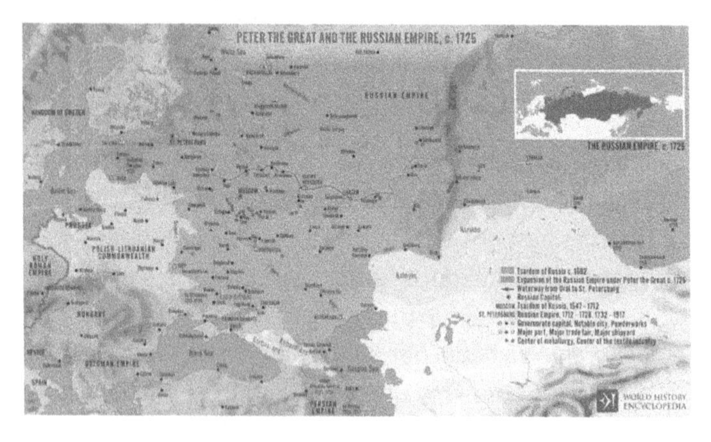

Primeros cambios en Rusia

La noche del 4 al 5 de septiembre de 1698, el zar regresó a Moscú y, tras una breve visita al Kremlin, fue a pasar la noche al Palacio de Madera de Preobraženskoe en compañía de Anna Mons. A la mañana siguiente, en cuanto se difundió la noticia de su regreso, una multitud de boyardos y funcionarios acudió al palacio para darle la bienvenida. Pedro los recibió con gran entusiasmo, luego sacó una navaja de barbero y comenzó a cortar las barbas de los presentes.

Para los rusos, la barba era un ornamento creado por Dios, que llevaban los profetas, los apóstoles y el propio Jesús. Para ellos, cortársela significaba cometer un pecado mortal. Pedro, en cambio, consideraba que la barba era incivilizada, ridícula e inútil y promulgó un decreto que obligaba a todos los rusos, campesinos y sacerdotes excluidos, a afeitarse. Los que quisieran seguir llevándola tendrían que pagar un impuesto anual que oscilaba entre un kopek para los campesinos que, exentos sólo si permanecían en el campo, decidían entrar en la ciudad, y 100 rublos para los comerciantes ricos.

Poco después, Pedro también empezó a insistir en que los boyardos abandonaran sus trajes tradicionales moscovitas y vistieran al estilo occidental. En enero de 1700, el zar promulgó un decreto que obligaba a los boyardos, funcionarios públicos y terratenientes a abandonar sus largas túnicas y adquirir abrigos de estilo húngaro o alemán.

Durante su estancia en Europa, Pedro, que deseaba poner fin a su matrimonio con Evdokija, pidió a Lev Naryšlin y a Tikhon Strešnev que persuadieran a la zarina para que hiciera los votos y se convirtiera en monja. Como los dos hombres preferían que fuera el propio zar quien asumiera esta carga, pocos días después de su regreso a Moscú, Pedro convocó a su esposa a una audiencia. La mujer se negó a hacerse monja, alegando que su deber de madre se lo impedía. Por ello, el zar decidió resolver el asunto alejando a Alexis de su madre y confiándolo al cuidado de su hermana Natalia. Poco después, una mañana, se envió un carruaje a palacio; Evdokija fue llevada en él y trasladada al monasterio Okrovski de Suzdal'. Aquí, diez meses más tarde, Evdokija fue obligada a cortarse el pelo y a tomar el nombre monástico de Helena. De este modo, Pedro fue finalmente libre.

Otro cambio impuesto por Pedro se refería al calendario: desde la antigüedad, los rusos utilizaban el calendario bizantino, que no calculaba los años a partir del nacimiento de Cristo, sino desde el momento en que creían que se había creado el mundo y en el que el año comenzaba el 1 de septiembre. En diciembre de 1699, decretó que el año siguiente comenzaría el 1 de enero y llevaría el número 1700. De este modo se adoptó en Rusia el calendario juliano, por entonces sólo en uso en Inglaterra, que permanecería en vigor hasta 1918.

Pedro también cambió el sistema monetario ruso. Hasta entonces, en Rusia había circulado una enorme cantidad de monedas extranjeras con la letra M sobreimpresa, que significaba Moscovia, mientras que las únicas monedas rusas regulares eran pequeñas piezas ovaladas de plata llamadas *copeche.* Tras una visita a la Real Casa de la Moneda inglesa, Pedro había llegado a la conclusión de que, para aumentar el comercio, era necesario acuñar una gran cantidad de moneda estatal, emitida y protegida por el gobierno. Por ello, ordenó la producción de un gran número de monedas de cobre para sustituir a los *copecks*; después acuñó más piezas de plata y oro hasta llegar al rublo, que valía 100 copecks.

Siguiendo el consejo de un sirviente, Aleksej Kurbatov, Pedro también decidió adoptar en Rusia el sistema del papel sellado, de modo que todos los actos oficiales, contratos y otros documentos debían escribirse en hojas de papel del Estado con el sello y, en el lado izquierdo, el águila zarista. El papel sería un monopolio estatal y los ingresos aumentarían el tesoro.

El exterminio de los Strelizzi

En 1698, los strelizzi volvieron a sublevarse. Por orden del zar, Romodanovsky llevó a todos los strelizzi traidores a Preobraženskoe, donde hizo construir catorce cámaras de tortura para alojarlos: seis días a la semana, semana tras semana, los mil setecientos catorce prisioneros supervivientes fueron interrogados durante la mitad de septiembre y la mayor parte de octubre; los sacerdotes declarados culpables de rezar por la victoria de los rebeldes fueron condenados a muerte. Los sospechosos de simpatizar con los traidores fueron detenidos e interrogados.

Todos los principales amigos y lugartenientes de Peter (Romodanovsky, Boris Golicyn, Sejn, Strešnev, Pyotr Prozorovsky, Michail Čerkasskij, Vladimir Dolgorukij, Ivan Troekurov y Zotov) asistían a los interrogatorios y el propio Peter estaba a menudo presente e interrogaba personalmente a los condenados. Aunque los interrogatorios se realizaban en secreto, todo Moscú sabía que algo terrible estaba ocurriendo en Preobraženskoe. El propio Patriarca acudió a Pedro para pedir clemencia, con una imagen de la Santísima Virgen en la mano. Pedro, resentido por su intromisión, respondió al prelado que aquel no era lugar para llevar a la Santísima Virgen y que Rusia no se salvaría por la misericordia, sino por la crueldad.

Por confesiones extraídas a hombres torturados, Pedro se enteró de que los strelizzi pretendían tomar la capital, incendiar el Barrio Alemán, matar a los boyardos y poner a Sofía en el trono. Bajo tortura, un strellez, Vaska Alekseev, declaró que dos cartas, posiblemente escritas por Sofía, instaban a los strelizzi a sublevarse, ocupar el Kremlin y poner a la *zarevna en el trono* de Rusia. Pedro acudió en persona a Novodevich para interrogar a Sofía, que negó ser la autora de las cartas. Pedro le perdonó la vida, pero decidió que su encarcelamiento fuera aún más estricto: Sofía fue obligada a cortarse el pelo y a hacer votos bajo el nombre de Susana. Fue confinada para siempre en Novodevicij, donde la custodiaban cien soldados y no podía recibir visitas.

A lo largo del otoño y el invierno, a intervalos regulares de pocos días, fueron ejecutadas varias docenas de rebeldes. Las primeras ejecuciones comenzaron el 10 de octubre en Preobraženskoe: doscientos fueron colgados de las murallas de la ciudad y de postes que sobresalían de los parapetos, dos strelizzi por poste. El 11 de octubre, ciento cuarenta y cuatro strelizzi fueron colgados en la Plaza Roja de postes que sobresalían de las almenas del Kremlin. Ciento nueve fueron decapitados con hacha o espada en un campo de Preobraženskoe. Para los sacerdotes que habían alentado a los strelizzi se construyó una horca en forma de cruz frente a la catedral de San Basilio. Para dejar bien clara la relación entre Sofía y los strelizzi, 196 rebeldes fueron ahorcados en una enorme horca de forma cuadrangular erigida cerca del convento de Novodevicij, donde estaba encarcelada Zarevna. Los tres supuestos líderes de la revuelta fueron ahorcados directamente frente a la ventana de Sofía.

Finalmente, Pedro suprimió el cuerpo de Strelizzi y lo sustituyó por regimientos, vestidos, armados y entrenados según el modelo prusiano; exigió a varios hijos de la nobleza que sirvieran en el ejército o en la flota como oficiales y creó el regimiento Preobraženský para que sirviera de guardia personal de los zares.

La Gran Guerra del Norte y la fundación de San Petersburgo

Al fracasar la perspectiva de una campaña conjunta contra el Imperio Otomano, Pedro firmó un tratado de paz con el Imperio Otomano y volvió a centrar su atención en el Mar Báltico, cuyo control había obtenido el Imperio Sueco a mediados del siglo XVII. Pedro, con el apoyo de Dinamarca, Noruega, Sajonia y el Reino de Polonia, declaró entonces la guerra a Suecia, liderada por el rey Carlos XII, de 16 años.

Rusia pronto descubrió que no estaba preparada para enfrentarse a Suecia y el primer intento de conquistar la costa báltica acabó en desastre en la batalla de Narva (1700), lo que pareció dejar a Rusia fuera de combate. Carlos XII, aprovechando el momento, dirigió su acción contra Polonia y Sajonia. Mientras tanto, Pedro reorganizó su ejército y conquistó la Estonia sueca.

Confiado en que podría derrotarle en cualquier momento, el rey de Suecia ignoró la acción del zar y continuó luchando en Polonia y Sajonia. Mientras polacos y suecos estaban ocupados luchando entre sí, Pedro fundó la gran ciudad de San Petersburgo (en honor de San Pedro Apóstol) en Ingria, región capturada a los suecos en 1703, utilizando las habilidades del arquitecto suizo Domenico Trezzini de Astano, quien construyó primero la fortaleza, con la catedral de los Santos Pedro y Pablo en su centro, seguida de otros numerosos e importantes edificios administrativos y representativos.

Pedro prohibió la construcción de edificios de piedra fuera de San Petersburgo, que pretendía convertir en la capital de Rusia, para que todos los canteros pudieran participar en la construcción de la nueva ciudad. Al mismo tiempo, Pedro entabló una relación sentimental con Marta Skavronskaya, una lituana de origen pobre hecha prisionera por los rusos durante la Guerra del Norte.

Marta se convirtió a la religión ortodoxa con el nombre de Catalina; ambos se casaron en secreto hacia 1707.

Tras numerosas derrotas, el rey Augusto II de Polonia abdicó en 1706, dejando vía libre a Carlos XII para volver su atención a Rusia, que el soberano sueco invadió en 1708. Tras su entrada en Rusia, Carlos derrotó a Pedro en la batalla de Golovcin en julio de 1708, pero en la siguiente batalla de Lesnaja sufrió grandes pérdidas cuando Pedro destruyó una columna de refuerzos suecos procedentes de Riga; privado de su ayuda, Carlos tuvo que abandonar su plan de marchar hacia Moscú.

Al no aceptar la idea de retirarse a Polonia o regresar a Suecia, Carlos invadió Ucrania. Astutamente, Pedro se retiró hacia el sur, destruyendo todo lo que pudieran necesitar los suecos, que se encontraron así en una difícil situación debido a la falta de suministros y a la crudeza del invierno.

En el verano de 1709 Carlos reanudó sus esfuerzos por conquistar Ucrania, pero se enfrentó a un enemigo muy agresivo y en la batalla de Poltava (27 de junio de 1709) Pedro recogió los frutos de años de trabajo para fortalecer el ejército ruso, infligiendo grandes pérdidas al enemigo (10.000 muertos) y capturando después lo que quedaba del ejército sueco.

El resultado de esta batalla invirtió la suerte de la guerra: en Polonia, Augusto II volvió a ocupar el trono, mientras que Carlos huyó al Imperio Otomano, donde trabajó para convencer al sultán Ahmed III de que le ayudara a reanudar la guerra. Pedro declaró temerariamente la guerra a los otomanos en 1711, pero la campaña en el sur tuvo resultados tan infructuosos que Rusia, para obtener la paz, tuvo que entregar los puertos del Mar Negro conquistados en 1697; a cambio, el sultán expulsó al rey de Suecia.

En el norte, los ejércitos de Pedro tuvieron mejor suerte y conquistaron Livonia, haciendo retroceder a los suecos a Finlandia, que fue ocupada en gran parte en 1714. La flota rusa también consiguió violar las aguas suecas. En la última fase de la guerra, Pedro también recibió ayuda de Hannover y del Reino de Prusia. A pesar de las derrotas, Carlos XII siguió luchando y sólo su muerte en combate en 1718 permitió que se entablaran negociaciones de paz.

En 1720 Suecia firmó la paz con todos los beligerantes excepto Rusia, con la que firmó el Tratado de Nystad, en 1721, que puso fin a lo que se conoció como la Gran Guerra del Norte. Rusia obtuvo Ingria sueca, Estonia sueca, Livonia y parte de Carelia; a cambio pagó dos millones de riksdaler y renunció a Finlandia, excepto a algunos territorios alrededor de San Petersburgo, que entretanto se había convertido en la capital desde 1712.

Los últimos años

En 1717 se desenmascaró una conspiración urdida por el verdugo Aleksandr Kikin, que agrupaba a varios opositores de Pedro I en torno a su hijo mayor, Aleksej. La sentencia fue la condena a muerte de todos los conspiradores, incluido Aleksej, en 1718. La madre de Aleksej también fue procesada por falsas acusaciones de adulterio.

Los últimos años del reinado de Pedro I estuvieron marcados por nuevas reformas. En 1721, tras firmar la paz con Suecia, fue proclamado emperador de toda Rusia (algunos le sugirieron que adoptara el título de emperador de Oriente, pero él se negó). El título imperial fue reconocido por Polonia, Suecia y Prusia, pero no por los demás monarcas europeos. Para muchos, la palabra emperador connotaba superioridad sobre los reyes. Muchos gobernantes temían que Pedro proclamara su autoridad sobre ellos como, en su época, el emperador del Sacro Imperio Romano Germánico había proclamado su supremacía sobre todas las naciones cristianas.

Pedro también reformó el gobierno de la Iglesia ortodoxa rusa: En 1700, al quedar vacante la sede del Patriarca de Moscú, Pedro nombró a un coadjutor para que realizara todo el trabajo; confiscó numerosas posesiones al clero;

también se atribuyó el nombramiento de obispos y de los principales cargos eclesiásticos, y sancionó que nadie pudiera entrar en un monasterio antes de cumplir los cincuenta años; por último, en 1721, estableció el Santo Sínodo, un consejo de diez clérigos que ocupaban el lugar del Patriarca y del coadjutor.

Posteriormente, en 1718, se reformó el gobierno central: los ochenta *prikazy*, oficinas cuyas competencias a menudo se solapaban entre sí, fueron sustituidos por nueve colegios (aumentados a trece en 1722), cuyas tareas se describían detalladamente en el decreto que los creaba; A continuación, para crear un sistema flexible de control, se establecieron ochenta gobernaciones, cada una de ellas bajo un gobernador, nombrado por el zar, con poderes administrativos, militares y jurídicos; este sistema, sin embargo, creó algunos abusos, por lo que Pedro, en 1719, disolvió las gobernaciones en cincuenta provincias, cada una de las cuales se dividió, a su vez, en distritos más pequeños.

Además, en 1722, para privar a los boyardos de su poder, Pedro, que hacía tiempo que había abolido el *Zemsky sobor* y lo había sustituido por un senado consultivo (cuyos diez miembros eran nombrados directamente por el zar), instituyó la Tabla de Rangos, por la que decretó que la posición nobiliaria podía determinarse no sólo por el censo, sino también por los méritos en el servicio al emperador en la burocracia; Al mismo tiempo, impuso que todos los niños, de diez a quince años, que pertenecieran a la nobleza, al clero o fueran hijos de oficiales, debían aprender matemáticas, geometría y someterse a un examen final para determinar su idoneidad para el servicio público. La *Tabla* permaneció en vigor hasta el fin de la monarquía en Rusia en 1917.

Abolió el impuesto territorial y el impuesto familiar y los sustituyó por un impuesto per cápita: los impuestos territoriales o familiares sólo los pagaban los propietarios o quienes mantenían una familia, mientras que el nuevo impuesto debía pagarlo todo el mundo, incluidos los sirvientes y los pobres. En 1724 asoció al trono a Catalina, su segunda esposa, otorgándole el título de emperatriz, aunque conservó todo el poder en sus manos.

Su última iniciativa militar fue la expedición a Persia (1721-1724). En agosto de 1721, Dawd Beg, kan persa, ocupó Shemakha, importante emporio ruso en el mar Caspio, en el kanato de Shirwan, saqueando sus mercancías. En represalia, Pedro envió 50.000 soldados con 80 barcos al mar Caspio, ocupando la península de Agrakan y conquistando Derbent, mientras que el zar de Kartli Vaktang IV con 30.000 hombres y el patriarca armenio con 8.000 soldados, aliados de los rusos, marcharon con Dawd Beg a Ganjia. En 1723, las tropas rusas conquistaron las provincias de Ghilan y Bakú. Los otomanos acudieron en ayuda de Dawd Beg e invadieron Kartli, conquistando Tiflis y los kanatos de Ereván y Tabriz.

En septiembre de 1723, los persas pidieron la paz y se aliaron con los rusos, a quienes cedieron Derbent, Bakú, Ghilian, Mazanderam y Astrabad (litoral occidental y meridional del Caspio). En junio de 1724 se firmó la paz ruso-turca: los otomanos obtuvieron Georgia, Ereván, Kasvin y Shemakha. En 1725 finalizó la construcción de Peterhof, un palacio cerca de San Petersburgo que se hizo famoso como el "Versalles ruso".

Muerte

Al no tener herederos, una ley de 1722 concedió a Pedro el privilegio de elegir a su sucesor y éste eligió a su esposa Catalina. Pedro murió en 1725, siendo enterrado en la catedral de Pedro y Pablo, en la fortaleza del mismo nombre que quiso en San Petersburgo. La emperatriz Catalina contaba con el apoyo de la guardia imperial. Tras su muerte, en 1727, el trono pasó al nieto de Pedro I, Pedro II (hijo de Alexis), con lo que terminó la línea masculina directa de los Romanov.

Después de él, la sucesión al trono fue caótica: los dos monarcas siguientes fueron hijos del hermanastro de Pedro I, Iván V; los descendientes directos de Pedro sólo recuperaron el trono en 1741 en un golpe de Estado. Ningún hijo ascendería directamente al trono ocupado por uno de sus progenitores antes de Pablo I, sucesor de Catalina la Grande en 1796, más de setenta años después de la muerte de Pedro I, que dedicó a su predecesor la famosa estatua ecuestre del Jinete de Bronce.

Juicio histórico

Con estas palabras, Louis de Rouvroy de Saint-Simon, describió a Pedro el Grande con ocasión de su viaje a París en 1717:

Este juicio también es ampliamente aceptado por los eruditos modernos, que destacan lo sencillo que era el Zar en sus modales, acostumbrado a conversar y entablar amistad incluso con simples artesanos y marineros, y con la costumbre de conceder cargos públicos incluso a personas de origen humilde, siempre que fueran capaces; al mismo tiempo, sin embargo, era rígido, terrible en la ira, cruel siempre que encontraba oposición: En esos momentos, sólo su segunda esposa, Catalina, y sus más estrechos colaboradores podían mitigar sus excesos; como gobernante, era un autócrata dotado de una insaciable fuerza de voluntad, extremadamente diligente y testarudo; por último, en cuanto a resultados, promovió activamente la industria, el comercio, la educación y la cultura y convirtió a su país en una gran potencia.

Descendientes

De sus dos esposas, Pedro tuvo quince hijos, más al menos dos ilegítimos. De ellos, sólo tres alcanzaron la edad adulta: Alexis de su primera esposa y Anna y Elisabeth de la segunda. Sólo tuvo tres nietos: el zar Pedro II y la gran duquesa Natalia de Alexis y el zar Pedro III de Ana.

Ilegítimo

También tuvo al menos otros tres hijos de dos amantes:

- por Lady Maria Hamilton:
    - Niño abortado (1715)
    - Hijo sin nombre (1717 - 1718)
- por la princesa María Cantemirovna de Moldavia:
    - Hijo sin nombre (1722 - 1723)

Otros libros de United Library

https://campsite.bio/unitedlibrary

Milton Keynes UK
Ingram Content Group UK Ltd.
UKHW021823010124
435297UK00017B/1111